CW00433013

Alina Kuberska

ANIOŁ ZA PRZEDSIONKAMI

London 2013

Alina Kuberska

ANIOŁ ZA PRZEDSIONKAMI

2Kings&LuvPublishers
21 Vicarage Grove
London SE5 7LW

International Polish Artists Association (IPAA)-UK
www.e-sztuka.com

First published in Great Britain in 2013
Copyright © Alina Kuberska
The right of Alina Kuberska to be identified as the author of this work has been asserted by her in accordance with the Copyright, Designs and Patents Act 1988.

Cover design by © Frederick Rossakovsky-Lloyd

All rights reserved. No part of this publication may be reproduced, stored in a retrieval system, or transmitted, in any form or by any means, electronic, mechanical, photocopying, recording or otherwise, without the prior permission of the publishers.

A catalogue record for this book is available from the British Library.

ISBN 978-0-9575317-2-7

Projekt okładki i opracowanie graficzne: ©Frederick Rossakovsky-Lloyd
Na okładce wykorzystano fragment obrazu **„Bird of Paradise"** (2010), autorstwa Fredericka Rossakovsky-Lloyd

Korekta: Iwona Niedopytalska

Wydawca: **2Kings&LuvPublishers – London – UK**

Książkę wydano pod patronatem:
International Polish Artists Association (IPAA)
(*Międzynarodowego Stowarzyszenia Artystów Polskich z siedzibą w Londynie*).

Bibliotece Narodowej w Warszawie i Bibliotece Jagiellońskiej w Krakowie przekazano po dwa egzemplarze niniejszej książki.

Druk: DIGITAL MEDIA Sp. z o.o.
ul. Krauthofera 16B/7
60-203 Poznań

Moim dzieciom:
Kasi, Ewie i Maksymilianowi
oraz wnuczkom:
Paulince, Patrycji, Ewuni i Sarze.

Szanowny Czytelniku,

najczęściej zanurzamy się w przeszłości po to, by jeszcze raz coś przeżyć. Czasami odświeżamy ukryte w nas obrazy aby zrozumieć własne motywy. Zdarza się, że rozdrapujemy rany lub przeżywamy ponownie minione chwile szczęścia, czerpiąc z nich energię.

Alina Kuberska - autorka niniejszego tomiku wierszy, wyrusza w prywatną podróż, w głąb samej siebie, w celu pożegnania się z rozpaczą po stracie ukochanego. Adresat tych wierszy odszedł nagle, niespodziewanie, dawno temu. Pozostała po nim tęsknota i żal. Przez lata „porzucona kochanka", pogrążona w smutku, nie znajdowała odpowiedzi na pytanie „dlaczego"; zrozumiała jednak, że rozpacz nie jest celem jej życia:

rozstawiła sztalugi nad wodą
pędzlem nakłada na płótno
wiatr zatopiony
we łzach samotności

nie tak chciała malować (...)

Znalazła w sobie siłę i stanęła na nogi. Zaczęła żyć, czerpiąc energię z otaczającego świata. Nie chciała jednak niczego zapomnieć, zamiast tego w głębi swojej duszy stworzyła refugium dla pamięci tego, który nie zdążył się z nią zestarzeć:

muszę nauczyć się żyć bez ciebie
wyjechać by spełnić nasze marzenia
wyrzucić cierpienie z siebie
zostawić tylko dobre wspomnienia

Odrodzona, znalazła w sobie wiarę w sens tego, co ją spotkało. Rzuciła się w wir życia, wyciskając z każdej chwili wszystko to, co pozytywne:

karmiona wiarą
żyje w uniesieniu

nie ma już kropli u rzęs
osuszyły ją promienie (...)

Alina postanowiła się nie poddawać. W jej sercu narodziły się anioły, do których mogła uciekać się z prośbami. Stały się one pomostem pomiędzy światami, częścią jej duszy, która umożliwiała kontakt z własną podświadomością, Bogiem i tymi, co odeszli. Ta silna kobieta wygrała trudną walkę z rakiem.

mój anioł
przysiadł
na krawędzi śmierci

w ostatniej chwili
przesunął linię (...)

Zdecydowała się żyć. Otoczona nadzieją zaczęła dzielić się swoją siłą z innymi. Stała się murem chroniącym bliskich:

nie pozwolę by deszcz
przypominał łzy
chcę by świat się uśmiechał
a dzieci miały radosne sny

Po przeczytaniu „Anioła za przedsionkami" Aliny Kuberskiej, widzę ją jako kobietę pogodzoną z otaczającym światem, rozliczoną z przeszłością i ufnie wpatrzoną w przyszłość. Sensem jej życia jest bowiem miłość i związki z ludźmi bliskimi jej sercu. Im właśnie postanowiła zadedykować niniejszy tomik.

A kochanek? On żyje w sercu chroniony przez anioły. Poetka wierzy, że kiedyś znów będą razem; nic ich już wtedy nie rozdzieli:

wiem że prawda jest względna
a nasza bliskość prawdziwa
żadna pustka nas nie rozdzieli

dlatego biegnę do ciebie myślami
z serca wyrzucam tęsknotę
wiem że niedługo poczuję
dotyk twych ust

Zapraszam do lektury.

Frederick Rossakovsky-Lloyd
Przewodniczący
International Polish Artists Association (IPAA)

z zamyślenia wyrwał mnie telefon

niedawno byłam szczęśliwa
miałam głowę pełną marzeń
dziś samotnie łzy połykam
nie wiedziałam co się zdarzy

tyle planów nam runęło
w ten słoneczny piękny dzień
zamyślenie przerwał telefon
a mnie okrył chłód i cień

mieliśmy tam razem pojechać
zapisać naszą miłość na skale
ty jednak sam pojechałeś
przez niewidzialną rękę zabrany

muszę nauczyć się żyć bez ciebie
wyjechać by spełnić nasze marzenia
wyrzucić cierpienie z serca
zostawić tylko dobre wspomnienia

przemiana

zamknęłam drzwi
kluczem łez wypłakanych
symbol naszej miłości

różę

rozsypałam w morzu
może wypłynie nadzieją

chleb życia

okruchy miłości
ugniotłam w całość
wyrobiłam z nich
chleb życia

poczekałam aż wyrośnie
trzeba mu ciepła
by był gotowy

będę przyjmować go
kawałek po kawałku
każdego dnia

może wystarczy
po kres

konwalie

na pierwszej randce
wręczył z uśmiechem konwalie
spojrzał głęboko w oczy

płomieniem w sercu
rozświetlił życie
otulił płaszczem miłości

często budziła się o świcie
marząc o wspólnej przyszłości

śmierć zabrała marzenia
pozostał we wspomnieniach

w kolejną rocznicę śmierci
tylko łzy mienią się w słońcu

dlaczego

na długie wieczory
zabrał jej cień

wspomnień echo
smak ust
dotyk dłoni
muzykę duszy

teraz symfonia Beethovena
już zawsze będzie
ją przypominać

a może zaschnięta łza
na kołnierzu marynarki
sam nie wie
dlaczego odjechał

czasami boję się ciszy

wspominam dłonie
pamiętam
jak czule obejmowały

mogę z zamkniętymi oczami
wyczarować ten nastrój
ciszy - nie ciszy

tam gdzie jesteś
już nie czujesz
nikt nie przychodzi
nie ma znaków

zostawiłeś zimny pocałunek

smutek
zakotwiczył
na dnie duszy

ten sam klucz

zamknięte drzwi
wsunięty klucz
zachęca do wejścia
wystarczy przekręcić

ciągle czekam
odziana w niepewność
z sercem pełnym miłości

w przedsionku zostawiam
zapalone światło wiary
i zapach lawendy

jak powiedzieć

jak mam powiedzieć
złotym liściom że tęsknię

jak mam powiedzieć
słońcu że razi w oczy

jak mam powiedzieć
wiatrowi by nie tańczył
ze spadającymi liśćmi

nie powiem
napiszę

jesteś za daleko

odszedłeś
choć mówiłeś że nie zranisz

zrobiłeś to
nawet nie wiesz jak boli

mówiłeś że kochasz
uwierzyłam

a teraz tak zimno wokół serca
usta maluję granitem

niedokończona historia

wiatrem ślę
ciszę utkaną
z mojego snu

do stóp położę
uczucie
pieśń z niego
utworzę

po to jesteśmy
do pary
niedokończonej historii
i naszej miłości

jesienne marzenia

korale jarzębiny wpięłam we włosy
narzuciłam płaszcz kolorowych liści
uplotłam z nich jesienne warkocze
wierząc że spóźniona miłość się przyśni

dojrzała pszenicznymi kłosami
wirująca liśćmi na ścieżce
refleksyjna jak promienie we włosach

taka z marzeń
z nutką babiego lata
w życie spełnienie się wplata

biała róża

wejdź w serce ukochanej osoby ujrzysz raj
- Johannes Eckhart

róża w wodzie się przeglądała
uśmiechała się do swojego odbicia
rankiem kiedy się budziła
na płatkach słońce widziała

strudzony wędrowiec przyszedł do źródła
napić się wody przed podróżą
zobaczył - serce mu skradła
była wyśnioną białą różą

został w jej ramionach
z płatków spijał ranną rosę
aksamitnym dotykiem ją budził

teraz i ona poznała szczęście
płatki wypiękniały
wędrowiec o podróży nie marzy
na zawsze z nią związany

tylko łza

nie potrafię zatrzymać
głosu z przeszłości
jak echo
odbija się we mnie

tylko łza
pachnie kwiatem jabłoni
łagodzi ból
zapisany rozstaniem

rozsypane korale

rozerwały się
czerwone korale
rozsypały po podłodze

na kolanach je zbieram
nic nie widzę przez łzy

czy uda mi się nanizać
je na sznurek

nie chcę zgubić
najważniejszego

nie bała się umrzeć

kobieta nocnych lęków
zatracała się w niebycie

dusiła strach
nacinając na ciele kolejne upadki
nie bała się umrzeć
obawiała się życia

ból samotności

na krawędzi myśli
przysiadł wiatr

zasmucił chłodem
zostawiając ślad

mocno objęłam siebie
zabolało
chciałam poczuć
jak boli samotność

klepsydra

zasuszone róże
w białym wazonie
uśmiechają się radośnie

przypominają o wiośnie

zauroczona widokiem
wspominam tamten moment
błysk w oczach zafascynowanie

i twoje całowanie

dni tęsknoty się zlewają
za chwilę istnieć przestanę

tak jak one wspomnieniem zostanę

kufer

mam kufer
pełen
zasuszonych marzeń
upchanych smutków
niespełnionych miłości

stoi w kącie

przypomina
bym nie uciekała
przed miłością

czeka za progiem

modlitwa

chciałbym odejść w ciszy

tylko szum sosen
niech nuci pieśń o życiu

serce jednak kołacze
przeczuwa
misja nie skończona

słono pod powiekami
usta drżą od bólu

bezgłośny szept
prosi Boga o siłę

co po nas zostanie

każdy kiedyś odejdzie
zostanie po nas wspomnienie
może ktoś koło grobu przejdzie
światło nadziei zapali
za wieczne duszy zbawienie

a może zepchnie nas w otchłań
skazując na zapomnienie
będziemy kurzem na drodze
a to co było złudzeniem

w którą stronę iść

zatrzymałam się
w pół drogi
w którą stronę
skierować kroki
pchana do przodu
idę na oślep

Anioł Stróż
w porę chwycił
za rękę

zanim umrę

tak bardzo bym chciała
przemalować życie
porozpieszczać zmysły
pochowane skrycie

słońcem rozgrzać serce
zapomnieć o smutku

tak bardzo bym chciała
usunąć cienie
w dłoniach zatrzymać
szczęścia chwil kilka
zanim umrę cicho

tak bardzo bym chciała

anioł

mój anioł
przysiadł
na krawędzi śmierci

w ostatniej chwili
przesunął linię

nie pozwolił odejść
przedwcześnie

dzisiaj uśmiecham się
do dalii
patrzę jak chmury
tworzą obrazy

dobrze mi
zobaczę radosną buzię wnuczki
jej malutkie rączki
wtulę w swoje

magia myśli

wstaje świt
okna zaparowane
chłodem poranka

uśmiechasz się
do wspomnień

oddychasz
tak lekko

nic nie boli
nawet przeszłość
jesteś wolna jak ptak

możesz polecieć
gdzie śpi noc

wstaje świt
to magia myśli
ratuje nas od samotności

jesień przez cały rok

kiedyś miałam dom
na skraju lasu
do snu układał mnie wiatr
nie liczyłam czasu

nie zastanawiałam się
nad porami roku
każda wnosiła w życie
wiele szczęścia i uroku

zmieniała tylko sukienkę
wdzięcznie w niej tańczyła

teraz tęsknię i czekam
kiedy przyjdzie wiosna
a jej ciągle nie ma

co się uśmiechnie
to łzami zaleje
od kilku tygodni
tak się dzieje

już się nie boi

pękła torebka
monety rozsypały się na podłodze
życie ułożone z wersów w sonet
zagubiła na krętej drodze

pokaleczona przedzierając się przez chaszcze
zatopiona we łzach niemej rozpaczy
gdzieś tam w głębi duszy wierzy jeszcze
że uda jej się przebić przez ścianę płaczu

tli się w oddali światełko nadziei
usta mówią wierzę w Boga Ojca
przecież jestem córką ziemi
Boże pokaż drogę
nie widzę końca

nagle gromem jasność objawiona
niebo błękitne w tęczę się stroi
granitowe usta uśmiechem maluje
idzie prosto
już się nie boi

ściany nie mają duszy

strach przenika na wskroś
jak zimny wiatr

rozsypani na kawałki
nie potrafimy się pozbierać

zasypiamy skuleni
w kłębek czarnych myśli
wsłuchani w odgłosy blokowiska

ściany nie mają duszy
w betonowych klatkach
ludzie mijają się beznamiętnie
strach czai się za plecami
boimy się odwrócić

a wystarczy uśmiech
lub przyjazny dotyk dłoni
czy tak trudno
zobaczyć drugiego człowieka

malarka życia

rozstawiła sztalugi nad wodą
pędzlem nakłada na płótno
wiatr zatopiony
we łzach samotności

nie tak chciała malować

doda czerwieni
niebo rozjaśni błękitem
zapach pól wyczaruje
wiatr ubierze w miłość
wtedy płótno ożyje

nie odchodź

zacumuj na dłużej
w mojej przystani
graj na fortepianie
wzbudzisz pożądanie

nie odchodź
instrument płacze
nokturnem

usłysz jak mocno
bije serce
już tęsknię

nim odpłyniesz
proszę zostaw światło
ciemności się boję

sierpień

tańczą trawy zielone
lśnią kroplami rosy
spełnieniem rozjaśnione
śmieją się twoje oczy

wiatr szumiąc śpiewną nutką
sypie chwile sierpniowe
jeżynową słodyczą
na usta karminowe

zbudzona z letniego snu
bo wieczory już chłodne
chowam na zimowe dni
serce moje głodne

taniec

tańczę boso
w czerwonej sukience
stół się ugina
od myśli i spojrzeń

słyszę tylko muzykę
to ona gra we mnie
taniec jest
dla was

włosy też tańczą
zasłaniają oczy

nie chcą widzieć
spojrzeń

lekka jak wiatr

zmywam czerń nocy
lekka jak wiatr
uśmiechem witam
dzień pachnący jaśminem

ból samotności
jest wspomnieniem
włożonym do albumu

kartki kalendarza
maluję karminem ust
zasypiam spokojna
w ramionach czasu

śladami zapachu

otulona welonem gęstej mgły
przedzierała zmęczone myśli
żeby w labiryncie uczuć
nie zgubić nici łączącej z wyjściem

oszukać serce które cierpi
powiedzieć - róże nie kłują
tylko pachną

zabrała zapach
nie zgubiła drogi
wyrzuciła kolce
zmęczone myśli owiła
snem wiekuistym

fortepian

w rogu sali fortepian
na klawiszach gra muzyka
serce rozkwita

zieleń oczu
błyszczy jak tafla wody
w słońcu

płynę tańcem
w jego ramionach
zespolona oddechem

magia tej chwili
odejdzie wraz ze świtem

wróci
w poświacie księżyca

naszyjnik z pereł

zbieram perły od lat
na naszyjnik życia
radosne - błyskiem oka malowane
smutne - płaczem zraszane

w każdej jest część życia
marzenia i sny
uśmiech i łzy

moja kolia wygląda zwyczajnie
nie widać w nich tajemnic życia
każda perła ma wiele do odkrycia

żyję chwilą motyla

różę oczyszczam z kolców
oczy rozjaśniam słońcem
rozwijam skrzydła

łapię wiatr
choć to tylko chwila
jestem szczęśliwa

moja radość
ma buzię dziecka
umazaną powidłami

soczyste winogrona

w moich palcach
dojrzewają winogrona
jak twoje piersi
gdy je przytulam

włosy niewinnie
rozsypane na pościeli
pachną namiętnością

za oknem księżyc
przekomarza się z gwiazdami
on wie

kasztany

kasztanowe włosy
spięła klamrą
wypadł kosmyk

spojrzał na nią
i już zawsze
miał przed oczami
kasztany

lecę latawcem

rozpostarte ramiona
unoszą mnie do góry
jak skrzydła

szybuję w chmurach
odrodzona z bezsilności
oczyszczona ze złych myśli

gnana wiatrem nadziei
lecę jak latawiec
posklejany z pragnień

radosna melodia

zmęczona przysiadła na chwilę
na pniu drzewa w lesie
by wsłuchać się w śpiew wiatru
który kołysankę niesie

zaśpiewa by wyciszyć żal
zagra na strunach duszy
wszystkie smutki pójdą w dal
kamień serca skruszy

wietrze szalony wietrze kochany
wiej nadzieją wielką
osuszaj łzy wkradaj się w serce
zabieraj smutki i złość wszelką

łza jak poranna rosa

w cudownym ogrodzie marzeń
kwitnącym wiosennymi tulipanami
świtem
w porannej rosie
przeciągam duszę

rozpalona płomieniem uczuć
siedzę i patrzę w dal
szczęśliwą nieskończenie
bo spotkałam ciebie

łza jak poranna rosa
pojawia się w oczach
jak perła szczęścia
znaleziona po latach

zaproszenie

przypłyń świtem
śpiewem ptaków
zapukaj do drzwi

scałuj ślady nocy
powiedz księżycowi
że to nie kres wędrówki
tylko pora snu

wybierz się ze mną
do teatru marzeń
może na scenie
grają naszą historię

dobrze wiesz
jak życie
potrafi zaskoczyć

brzoza

w lesie
daleko od tłumu
przytulona do brzozy
czekam na znak

spadające liście
pieszczą włosy

my dwie i niebo
szept liści
zagłusza smutek

na liściu klonu

za oknem mgła
w sercu tęsknota
zasznurowane usta
schowały słowa

na liściu klonu
posłałam wiadomość
jesień ją zatrzymała

jesienny deszcz

deszcz jesienny pada
smutkiem w okna stuka
ja się przekomarzam

wierszem opowiadam
jak z kolorowych liści spływa
ziemię ożywia
wlewa w serca nadzieję

nie pozwolę by deszcz
przypominał łzy
chcę by świat się uśmiechał
a dzieci miały radosne sny

otulona babim latem

kobieta jesienna
spowita babim latem
dojrzała
gorąca

rozpala i podnieca
szalona
kobieca

namiętność okrywa
jesiennym płaszczem
chce żyć
płomienna

wkrótce zima
lecz ona jesienna
płomieni się trzyma

góry

pojechałam w góry
nacieszyć oczy przyrodą
zapomnieć o łzach niechcianych
zachwycać się ich urodą

jesień już zagląda w oczy
maki przekwitły w zbożach
życie nadal się toczy
pszenica dojrzała w kłosach

skoszone zboże w snopach
czas pędzi jak szalony
zapach mąki
na bochny chleba zmielony

a góry patrzą tak samo
dumnie z nutką tęsknoty
deszcz zmył smutne lico
wiatr rozwiał splecione włosy

słucham w Vivaldim

słucham w Vivaldim wiatru
wiosną odmładza
latem ożywia
jesienią sennie rozmarza
zimą usypuje kopce ze śniegu

słucham w Vivaldim szczebiotu ptaków
wiosną budzą marzenia
latem uskrzydlają
jesienią kładą do snu
zimą zasypiają

słucham w Vivaldim deszczu
wiosną przełamuje fale
latem upiększa ciało
jesienią przynosi nostalgię
zimą zamienia się w śnieg

słucham w Vivaldim słońca
wiosennie rozgrzewa
latem rozczula
jesienią oświetla liście
zimą odbija od śniegu
unosi tęczę do nieba
słucham
świat jest piękny

jesienny spacer

jesienny spacer po lesie
wiatr kolorowe liście niesie
wiruje w tanecznym kroku
to z przodu to z boku

uśmiecham się jesiennie
słońce puszcza oko promienne
jeszcze długo bym spacerowała
gdyby chmura słońca nie schowała

nazbierałam kolorowych liści
wrzosów jarzębiny kiści
włożyłam do wazonu z wikliny
by przypominały odwiedziny

kopenhaskie klimaty

jeszcze drzewa zielone
kwiaty na rabatach
oddychają latem

jesienny chłód
spaceruje obok

wdycham
kopenhaskie klimaty
siadam na schodkach

nenufary nie zamknęły kielichów
choć słońce nisko

jestem napełniona chwilą
wyciszam emocje
mogę wrócić do Polski
gotowa zmierzyć się z życiem

wiosna

deszcz zmył szarość
resztek zimy
otrzepał z kurzu
smutne drzewa

jutro zaczną pękać
budząc się do życia
patrz ile nadziei
niesie wiosna

ławki w parku
nie będą stać puste
zapach kwiatów
rozbudzi serca do miłości

miejmy podobne wspomnienia

ostatnie dni września
splecione koralami jarzębiny
wyzłocone słońcem
pełne wierzbowych warkoczy

tańczą liście wiatrem gnane
kasztany spadają na ulicę
dzieci zbierają w woreczki
robią z nich ludziki

śmiech w przestrzeni gra
jak cudowna muzyka
chciałabym znów być dzieckiem
biegać jak kozica

odchodzi ukochane lato
daje w zamian podarki jesieni
wkrótce wymaluje liście
będą kolorami się mienić

babie lato jeszcze przed nami
osnuje nasze marzenia
dzielę się z tobą odczuciami
miejmy podobne wspomnienia

niesamowite spotkanie

w blasku zachodzącego słońca
zgadywałeś myśli
niebieskie oczy
filtrowały po kawałku

dotykiem dłoni
przesłałeś energię życia

czułam pulsujące ciepło
wnikające we mnie
oddech na szyi
jak pocałunek
przesycony rozkoszą
drżałam

byłam w twojej mocy
nie bałam się kochać
zasłona wstydu opadła
chwilą porwana

tylko mnie kochaj

ona - kobieta pełna
wewnętrznego ciepła
emanuje miłością
kobieta bieli
złamanej szarością
czeka
na spełnienie snu
mówi - *chodź*
weź w ramiona
chcę czuć twój oddech
pomieszany z pożądaniem

on - stoi
w korytarzu jej życia
boi się wejść dalej

ona - ośmiela go -
zobacz jak płonę
nie uciekaj
kochaj mnie

w blasku świec
w brzasku dnia
kiedy zapada zmrok

jej oczy

kocha jej zielone oczy
jednak nie chce tego zdradzić

od nowa buduje most
by mogła przejść

choć pragnie - czeka
tajemniczo się uśmiecha
lubi kiedy pieści
nie tylko wzrokiem

jej ręce
jak dotyk aksamitu

drży z pożądania
serce bije szybciej

cicha rozmowa

myśli mówione na głos
cicha rozmowa
z samą sobą

chwila zdumienia
o miłości
która zmieniła życie

karmiona wiarą
żyje w uniesieniu

nie ma już kropli u rzęs
osuszyły ją promienie

miłosne słowa szeptane
myślą wniesione do serca
czekają na moment
pełnego oddania

czerwony podkoszulek

dałeś podkoszulek
chciałeś by ukryła w nim
zawstydzenie

ciało idealnie
wpasowało się w czerwień

małymi łykami pożądania
smakowałeś - mogła być twoja

stop klatka - cięcie
reżyser zmienił ujęcie

jutro nastanie
nowy dzień

tylko czerwony podkoszulek
z jej zapachem
przypomni
że była u ciebie

ty kochanek - ja kochanka

nie chcę płakać
nad błędnym uczuć płomieniem
co błysnął na chwilę
i zgasł

nie chcę się żegnać
żałosnym westchnieniem
nie chcę być cierniem
ani złym wspomnieniem

chcę być perłą
zdobiącą czyjeś serce
rankiem otwierać oczy
u boku ukochanego
czuć ze świtem bliskość
pomieszanych oddechów

chcę byś mnie kochał
każdego ranka

ty - kochanek
ja - kochanka

niech lęki ulecą

wiem że kiedyś będziemy
zespoleni w jedno trwanie
moje pragnienie miłości
pojednanie - serce bije
w rytm śpiesznego oddechu
kiedy myśli o tobie

chcę czuć cię zmysłami
niech czas nie zawstydza
nagości którą skrywamy
przed światem niech okryje
mgłą tajemnicy
niech lęki ulecą jak barwne motyle
ku niebu

wiadomość

czuje
że ją fascynuje
cóż że odszedł
będzie żył w niej
dotykiem
za którym tęskni

zostawił zapach

na myśl o nim
piersi nabrzmiałe
od pożądania

jutro
obudzi ją trzask
skrzynki pocztowej
w niej wiadomość

wrócę
mam
twój szal czerwony

jesteś oddechem

jesteś oddechem spokojnej nocy
uśmiechem dnia i urodą słońca
jesteś rozkoszą i błyskiem marzenia
szczęściem co nie ma końca

jakby od niechcenia
w księżycowej poświacie
w alabastrowej pościeli
otulasz mocno ramionami
pieszczotami dajesz nadzieję

nie odchodź wraz ze snem
marzenia zmień w rzeczywistość
zostań kiedy zaczyna się dzień
spraw bym znów się uśmiechała

nasza bliskość jest prawdziwa

jesteś i wszystko ma sens
życie jest jak nadzieja
widzę nas w zwierciadle wody
nie szukam ziarna prawdy
zapatrzona w tajemnice istnienia

wiem że prawda jest względna
a nasza bliskość prawdziwa
żadna pustka nas nie rozdzieli

dlatego biegnę do ciebie myślami
z serca wyrzucam tęsknotę
wiem że niedługo poczuję
dotyk twych ust

miłość

miłość
jest jak muzyka
jak blask księżyca

w ciemności rozwija skrzydła

miłość
można spotkać
na polanie i w lesie
w jesiennych wrzosach
w kroplach deszczu
wśród łanów zbóż
albo na płatkach śniegu

jest wszędzie tam gdzie ty

niech żyje miłość

odwieczny temat do pisania
uczucie od czasu istnienia świata
na papier uczuć przelewania
gdzie dobroć z radością się splata

kto kocha sercem miłość daje
czuwa nad snem bliskiej osoby
wszystko co ma dobrego oddaje
pilnuje w każdej minucie doby

słoneczne promienie z nieba zbiera
gwiazdami płaszcz szczęścia ozdabia
sprawia że każdego dnia jest niedziela
czułą pieszczotą do alkowy zwabia

nie potrzebuje zbrojnego oręża
kilka ciepłych słów i czułe spojrzenie
ona wszystko co złe zwycięża
zmienia nas i na świat widzenie

szeroko nam oczy otwiera
z ochotą innym pomagamy
zmieniać życia się nie boimy
więcej od siebie wymagamy

dlatego nie bójmy się kochać
choć czasami późna pora
otwórzmy nasze komnaty
to miłość do nas zagląda nowa

mojej miłości też zmarszczki gładzę
przez wiosny lata jesienie zimy
taką uczucie nade mną ma władzę
gdy dłonie ze sobą złączymy

Spis treści

2Kings&LOV publishers
www.e-sztuka.com